Ernst Jandl • Norman Junge

Cada vez más alto

kalandraka

El hombre se sube al sillón.

El hombre está sobre el sillón.

El sillón se sube a la mesa.

El hombre está sobre el sillón,
el sillón está sobre la mesa.

La mesa se sube a la casa.

El hombre está sobre el sillón,
el sillón está sobre la mesa,
la mesa está sobre la casa.

La casa se sube a la montaña.

El hombre está sobre el sillón,
el sillón está sobre la mesa,
la mesa está sobre la casa,
la casa está sobre la montaña.

La montaña se sube a la luna.

El hombre está sobre el sillón,
el sillón está sobre la mesa,
la mesa está sobre la casa,
la casa está sobre la montaña,
la montaña está sobre la luna.

La luna está sobre la noche.

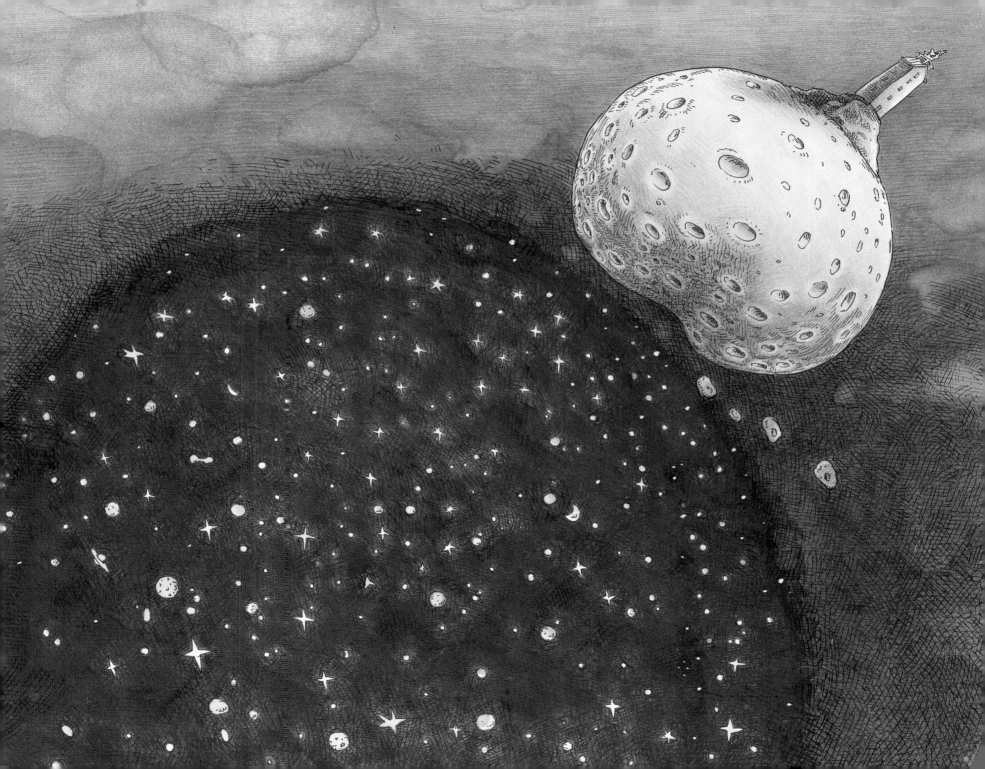

El hombre está sobre el sillón,
el sillón está sobre la mesa,
la mesa está sobre la casa,
la casa está sobre la montaña,
la montaña está sobre la luna
y la luna está sobre la noche.